D1318505

Première publication en Grande-Bretagne par HarperCollins Publishers Ltd, en 1993,
parue sous le titre : «*The Rescue Party*».
Première publication par Picture Lions, en 1994.

Texte/Illustrations © Nick Butterworth, 1993.
L'illustrateur impose le droit moral d'être identifié comme l'illustrateur de cet ouvrage.

Tous droits réservés.

© Lipokili 2006, pour l'édition en langue française.
BP32 - 4980 Trois-Ponts - Belgique
e-mail : info@lipokili.com
www.lipokili.be

Adaptation française : Valérie Crate

Loi n°49-956 du 16 juillet 1949 sur les publications destinées à la jeunesse.

Cet ouvrage fait partie de la collection : « Les histoires de Gaspard le gardien du parc ».
Dépôt légal : 0705/9494/017

Livre imprimé à Singapour et importé par Lipokili.

Le Sauvetage

NICK BUTTERWORTH

« Quelle belle journée pour ne rien faire ! », dit Gaspard le gardien du parc.

Gaspard avait pris un jour de congé.

Accompagné de quelques amis animaux, il avait emporté un pique-nique dans un des endroits du parc qu'ils préféraient.

Gaspard enleva sa casquette et se fit un chapeau de soleil en nouant les coins de son mouchoir. Ensuite, il s'appuya contre une vieille souche d'arbre et ouvrit son livre.

Les animaux s'installèrent autour de Gaspard et attendirent le goûter.

Il faisait chaud sous le soleil et tout le monde commença bientôt à somnoler. Soudain, ils furent dérangés par un éclat de rire.

Gaspard leva les yeux. Trois jeunes lapins, deux frères et leur petite sœur, jouaient à sauter dans les hautes herbes. Voyant Gaspard, ils lui firent signe.

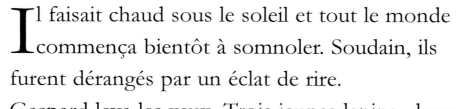

« Coucou Gaspard ! Nous faisons
semblant d'être des lièvres. »

Gaspard rit et leur fit signe aussi, tandis
que les lapins s'éloignaient en faisant
des bonds.

Les trois lapins s'amusaient follement.
« C'est moi qui saute le plus loin ! dit l'un d'eux.

– C'est moi qui cours le plus vite ! dit son frère.

– C'est moi qui saute le plus haut ! dit la petite lapine en s'élançant dans les airs.

– Youhouuuuuu ! »

Mais quelle ne fut pas la surprise de ses frères lorsqu'ils la virent complètement disparaître en retombant !

Elle avait traversé le couvercle tout pourri d'un vieux puits.

Les deux frères fixèrent le trou du regard, abasourdis. Puis ils se mirent à crier.

« Au secours ! Le sol a mangé notre petite sœur ! Au secours ! Est-ce que quelqu'un peut nous aider ? »

Et ce quelqu'un, bien sûr, c'était Gaspard.

Les deux lapins coururent vers lui et lui expliquèrent ce qui s'était passé.

Les autres animaux semblaient inquiets tandis que Gaspard écoutait, d'un air concentré.

« Il n'y a pas d'eau dans ce puits, mais il est très profond, soupira-t-il. Il mit sa casquette et se leva.

Nous allons avoir besoin d'une corde. Venez ! »

Gaspard partit en courant, suivi des animaux.

Peu de temps après, il revenait avec eux vers le vieux puits, une longue corde à épaule.

Il dégagea les morceaux de bois restants et se pencha au-dessus du trou.

Mais le trou était sombre et Gaspard ne voyait pas la petite lapine. Celle-ci était juchée sur une branche qui s'était coincée à mi-hauteur du puits.

« Ohééé ! appela Gaspard. Tu m'entends ? »
Une petite voix pas contente du tout répondit :

« Je me suis cogné la tête. »

— Mais tu vas bien ? demanda Gaspard.

— Je me suis cogné la tête, répéta la voix pas contente.

— Hmm..., fit Gaspard. Je pense qu'elle va bien. Hé ! Nous t'envoyons une corde. Attache-la bien et nous te remonterons », dit-il en faisant descendre la corde dans le puits.

La petite lapine ne savait pas exactement quoi faire, aussi noua-t-elle solidement la corde à la branche sur laquelle elle était assise.

« Et maintenant, oh ! hisse ! » dit Gaspard.

Gaspard tira sur la corde mais rien ne se passa. Il tira encore.

« Mais qu'est-ce qu'elle a mangé ? murmura-t-il. Elle pèse une tonne ! » Il tira de nouveau mais il ne se passa toujours rien. Gaspard fronça les sourcils.

« Bon ! dit-il. Voyons si nous pouvons y arriver tous ensemble. »

Dans le puits, la petite lapine commençait à s'habituer à l'obscurité. En regardant autour d'elle, elle remarqua une petite ouverture dans le mur du puits.

« Je me demande où cela mène », dit-elle.

En haut du puits, les sauveteurs étaient alignés derrière Gaspard, parés à tirer sur la corde.

« Prêts ? cria Gaspard. Tirez ! »

Quelque chose bougea dans le puits.

« Continuez, dit Gaspard, elle vient. »

Les sauveteurs tirèrent et tirèrent. Ils grognèrent, gémirent, geignirent, râlèrent.

La corde montait. Mais lorsqu'elle atteignit la surface, ils eurent une affreuse surprise.

Il n'y avait pas de petite lapine au bout de la corde. Tout ce qu'ils avaient retiré du puits, c'était une énorme branche !

« Ça alors ! », s'exclama Gaspard. « Où est-elle passée ? »

« **M**ais non ! fit une petite voix derrière eux. Je suis là…»

Tous regardèrent autour d'eux avec stupéfaction.
Là, derrière la rangée des sauveteurs, se trouvait la petite lapine.

« Elle s'est transformée en branche ! répondit le renard.

– Elle est au fond du puits ! dirent les écureuils.

– Elle est perdue pour toujours ! » gémirent les lapins.

Gaspard et les animaux éclatèrent de rire. Ils rirent et rirent encore, à tel point qu'ils n'arrivaient plus à se lever.

« Mais comment as-tu réussi à sortir ? demanda finalement Gaspard.

– Ça a été facile, dit-elle. J'ai trouvé un passage secret. Il arrive juste là.

– Ça par exemple ! s'exclama Gaspard. Tu as trouvé la sortie, et puis … tiens, ça me rappelle, ajouta-t-il, que je dois construire un nouveau couvercle pour ce vieux puits ! »

« Je le ferai demain, dit Gaspard en retournant au pique-nique, suivi de ses amis. Après tout, je suis en congé aujourd'hui ! »